El arte del Renacimiento

ESCRITO POR ERIC CHRISTOPHER MEYER

TABLA DE CONTENIDO

INTRODUCCIÓN

Leonardo da Vinci. Miguel Ángel. Rafael. ¿Te suenan estos nombres? Son artistas famosos. Vivieron y trabajaron en un período llamado el Renacimiento. El Renacimiento duró desde mediados del siglo XIV hasta el siglo XVII. Durante estos años hubo grandes cambios en las ciencias y en el arte. Estos cambios comenzaron en Italia. Luego, se esparcieron lentamente por toda Europa.

El término *renacimiento* viene de la palabra *renacer*. Esto significa "volver a nacer". Los académicos del Renacimiento tenían un interés renovado por el aprendizaje. Estudiaban el arte, los libros y los edificios de la Grecia y Roma antiguas.

▲ Los artistas del Renacimiento se inspiraban con las esculturas de la Grecia y Roma antiguas. Estas esculturas son de la Acrópolis, en Atenas, Grecia.

El período conocido como el Renacimiento comenzó en lo que ahora es Italia en el siglo XIV y luego se esparció por Europa. Este es un mapa de Europa en el año 1360.

Muchos de estos académicos eran **humanistas**. Los humanistas se centraban en el ser humano. Pensaban que se podía mejorar la vida por medio del aprendizaje.

Antes del Renacimiento, la mayoría del arte era religioso. Los artistas solían pintar personajes o escenas de la Biblia. La mayoría de los académicos estudiaban ideas religiosas. Pero los humanistas querían estudiar otras cosas aparte de la religión. Los humanistas estudiaban poesía, filosofía, música, arte y teatro.

El cambio de pensamiento trajo grandes cambios en las artes. Los artistas comenzaron a crear arte sobre temas que no eran religiosos. Pintaban retratos de personas y lugares.

Este libro se centra en el arte del Renacimiento italiano. Aprende sobre estas obras maestras del arte, escultura y **arquitectura**. Imagina la vida de estos grandes artistas mientras lees.

En el año 1450, aproximadamente, Johannes Gutenberg perfeccionó la imprenta. La imprenta permitió que más personas tuvieran acceso a los libros.

La PINTURA

del Renacimiento

Los artistas solían viajar durante el Renacimiento. Visitaban a artistas famosos. Algunos de estos artistas tenían talleres donde los artistas jóvenes estudiaban y practicaban la pintura y escultura.

Otros artistas viajaban a las cortes de las familias gobernantes. Estos **mecenas** los apoyaban. Los mecenas a veces pagaban por el alojamiento y la comida del artista. Otras veces, contrataban a los artistas para que crearan su arte. Los mecenas hacían fiestas y otros eventos sociales. Un artista que tuviera un mecenas poderoso solía alcanzar la fama.

▲ Esta pintura, *La virgen, el niño y santa Ana*, de da Vinci, muestra el dominio que tiene el artista de la perspectiva.

La perspectiva

El uso de **perspectiva** ayudó a definir la pintura del Renacimiento. La perspectiva le daba a la pintura un aire más realista.

Las pinturas prerrenacentistas tenían pocos detalles en el fondo. En cambio, los pintores renacentistas comenzaron a pintar diferente. Presentaban a las personas enfrente de paisajes. Los paisajes a la distancia se veían más pequeños que las personas. Esto le daba profundidad a la pintura.

> **EN SUS PROPIAS PALABRAS**
> *"La perspectiva es brida y timón de la pintura."*
> —Leonardo da Vinci

◄ Los artistas renacentistas comenzaron a usar la perspectiva lineal en sus obras. Fíjate en el paisaje detrás de las figuras humanas en este cuadro.

Leonardo da Vinci

Los pintores del Renacimiento aplicaban su conocimiento sobre la anatomía a su trabajo. La anatomía es el estudio del cuerpo humano. Los pintores comenzaron a mostrar el cuerpo humano en todo su esplendor. Leonardo da Vinci era un experto en mostrar la figura humana.

Da Vinci nació en 1452 cerca de Florencia, Italia. De niño, hacía dibujos detallados del mundo que lo rodeaba. Decidió ser un artista. Se mudó a Florencia para convertirse en aprendiz. Un aprendiz es alguien que aprende un oficio o profesión mientras trabaja con alguien que se dedica a ese oficio. Su maestro fue el pintor y escultor Andrea del Verrocchio.

Hacia 1472, da Vinci fue aceptado en el gremio de pintores de Florencia. Un gremio es un grupo de personas que se dedican al mismo negocio. Un gremio protege los intereses de sus miembros. Ser parte del gremio le permitió a da Vinci aceptar **comisiones**. Una comisión es una obra de arte que se hace por un precio. Los trabajos importantes y bien pagados iban únicamente a los miembros del gremio.

◀ **Leonardo da Vinci dibujó su autorretrato cuando tenía cerca de sesenta años.**

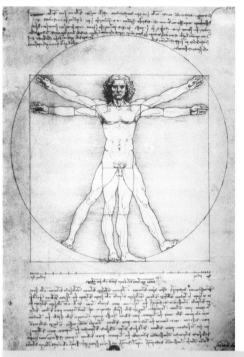

▲ Los cuadernos de Leonardo da Vinci nos ofrecen una mirada a la mente creativa de este artista.

En 1482, da Vinci fue a trabajar a Milán. Allí permaneció dieciséis años, durante los cuales pintó, esculpió y diseñó. También estudió el cuerpo humano, para lo cual realizó disecciones. Una disección en la separación en partes de un cadáver para estudiarlo. Él dibujaba y anotaba sus ideas en cuadernos.

PERSPECTIVA HISTÓRICA

Leonardo da Vinci fue pintor, escultor, arquitecto, ingeniero, músico y científico. Diseñó un helicóptero y experimentó con la fotografía.

Leonardo da Vinci fue la inspiración para el término "hombre del Renacimiento". Hoy en día, este término se refiere a alguien que domina muchas materias.

En 1500, Leonardo da Vinci regresó a Florencia. Como necesitaba dinero, aceptó una comisión en 1503. Esto resultó en el retrato más famoso de la historia.

El misterio rodea la *Mona Lisa*. Muchos creen que era la esposa de un mercader de Florencia. El nombre *Mona Lisa* es una abreviación de *Madonna Lisa* o "mi señora Lisa".

En la pintura original, da Vinci colocó a su modelo en un balcón. Estaba rodeada de un paisaje. Después de la muerte de da Vinci, alguien recortó el retrato. Recortaron las columnas del balcón. Nadie sabe quién lo hizo ni por qué.

▲ La *Mona Lisa* ahora está en el museo del Louvre en París.

ES UN HECHO

Fíjate en su mirada. ¿Qué esconde la Mona Lisa? Por muchos años, este cuadro ha estado rodeado de misterio. Todavía hay quienes debaten la verdadera identidad de la Mona Lisa. Hay quienes insisten en que es el mismo da Vinci. Otros piensan que el cuadro es una síntesis de varias mujeres.

Leonardo da Vinci colocó al sujeto de su obra enfrente de un paisaje. Esto le suma interés al cuadro. El artista presenta al sujeto en una **composición** triangular. Sus codos forman la base del triángulo. Esta estructura ayuda a crear profundidad. Da Vinci usó esta composición en muchas de sus obras.

Otra característica importante de los cuadros de da Vinci es el uso del color y la sombra. Hay contrastes agudos entre la luz y la oscuridad. Para muchos, esto crea una sensación de paz. Además, usa colores más claros para pintar el rostro, cuello y las manos de la Mona Lisa. Esto le da un brillo sutil al sujeto.

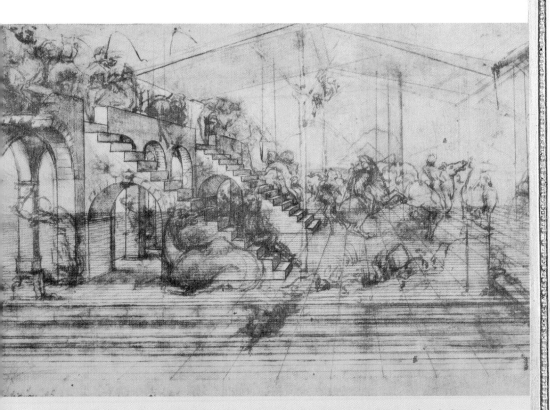

▲ Este dibujo es un estudio de perspectiva de *La adoración del Magi*, un trabajo inconcluso de Leonardo da Vinci.

Pintores del Renacimiento

Miguel Ángel

Su nombre completo es Miguel Ángel Buonarroti. Es el único artista que rivaliza por el título del hombre del Renacimiento con Leonardo da Vinci. Miguel Ángel era escultor, arquitecto, pintor y escritor. Al igual que da Vinci, Miguel Ángel entendía la anatomía humana y el movimiento. Dominó el **realismo**. Esta es una manera de pintar algo para que parezca real.

Miguel Ángel es famoso por haber pintado la Capilla Sixtina. Pintó **frescos** en el techo de la capilla. Para pintarla, pasó años acostado boca arriba en unas plataformas planas elevadas.

▲ La Capilla Sixtina muestra escenas d Génesis. Este libro de la Biblia habla sobre la Creación. Originalmente las figuras estaban desnudas. Sus ropas fueron pintadas años después.

◄ Miguel Ángel pintó "e nacimiento de Adán" en el centro del techo.

Rafael

Su nombre completo es Raffaello Sanzio. Estaba influenciado por el estilo de da Vinci.

En su corta carrera, Rafael pintó muchas obras de arte. Se hizo famoso al pintar una serie de frescos en el apartamento pontificio del Vaticano. Rafael dominó la técnica del retrato. Mostraba las emociones reales de sus sujetos. El realismo ayudó a que sus obras resaltaran.

▲ Rafael pintó la *Madonna del cardellino* en 1506. La obra fue hecha en óleo sobre madera. Las obras de Rafael muestran la perspectiva lineal y el uso de la luz y la sombra para crear profundidad.

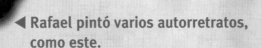

◄ Rafael pintó varios autorretratos, como este.

La Escultura del Renacimiento

Antes del Renacimiento, la escultura se usaba para decorar edificios. La Iglesia Católica comisionaba la mayoría de las obras para sus iglesias. Los escultores del Renacimiento crearon algunas obras de arte seculares. Estas esculturas eran como las que encontramos en la Grecia y Roma antiguas. Los escultores usaban el realismo para crear las esculturas.

Los primeros escultores del Renacimiento

El artista italiano Lorenzo Ghiberti fue uno de los precursores de la escultura del Renacimiento. Sus esculturas mostraban emociones. También usaba poses dramáticas. Su trabajo influenció a otros artistas del Renacimiento.

Las obras más famosas de Ghiberti son dos pares de puertas de bronce que se encuentran en el Baptisterio de Florencia. Uno de los pares de puertas está compuesto por veintiocho paneles con temas religiosos.

Ghiberti creó un taller de escultura después de recibir su comisión. Se tardó veinte años junto con sus estudiantes en terminar el primer par de puertas. Entre sus asistentes se encontraba Donatello. Donatello luego se convirtió en el mejor escultor del Renacimiento temprano.

✔ REVÍSALO

HACER CONEXIONES

Compara una escultura de este libro con otra que hayas visto en tu casa, escuela o comunidad. ¿En qué se parecen? ¿En qué se diferencian?

▲ Veintitrés de los paneles de bronce de Ghiberti muestran la vida de Jesucristo.

PERSPECTIVA HISTÓRICA

Algunas de las esculturas del Renacimiento eran hechas en madera o arcilla. Sin embargo, la mayoría de las piezas eran tallas de piedra o mármol. Los artistas usaban herramientas sencillas como el martillo y el cincel. Hoy en día, muchos escultores usan materiales suaves como la arcilla y las **moldean** a mano. Moldear es darle forma a una escultura. Luego, los artistas usan instrumentos para tallar detalles en la arcilla.

Donatello

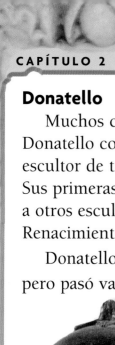

Muchos consideran a Donatello como el mejor escultor de todos los tiempos. Sus primeras obras inspiraron a otros escultores del Renacimiento.

Donatello era de Florencia, pero pasó varios años en Roma. Allí estudió el arte del Imperio Romano. Su obra refleja el estudio del estilo clásico.

Durante su carrera, Donatello trabajó con muchos materiales y técnicas. **Vació** esculturas de bronce. Es decir, creó moldes de sus esculturas. Fue el primer escultor en usar la perspectiva en sus esculturas. Desarrolló el **schiacciato**. Esta técnica le añade profundidad a la escultura, cuando en realidad está hecha en una superficie plana.

◀ Donatello muestra a David desnudo. Esto casi nunca se hacía en la Edad Media. Pronto, otros artistas comenzaron a esculpir desnudos. Esta era una manera clásica de celebrar el cuerpo humano.

Esta destreza le sirvió a Donatello para hacer esculturas realistas. Reveló la figura humana en su plenitud.

▲ Donatello completó *San Marcos* en 1413, cuando tenía cerca de veinticinco años. La obra se parece a las esculturas de la era romana.

CARRERAS

RESTAURADOR

Un restaurador de arte recrea la apariencia original de una obra de arte. Esta carrera requiere de una educación especial. El arte se estudia en la universidad. Los alumnos aprenden a reparar y limpiar obras de arte. Limpian secciones pequeñas con hisopos de algodón. Los restauradores rellenan las partes que faltan. Los restauradores de la Capilla Sixtina se ayudaron con computadoras. Esta restauración duró veinte años. Una computadora diagramó cada sección del fresco que había que reparar.

▲ Esta foto muestra cómo se limpia una sección del techo de la Capilla Sixtina con una solución química.

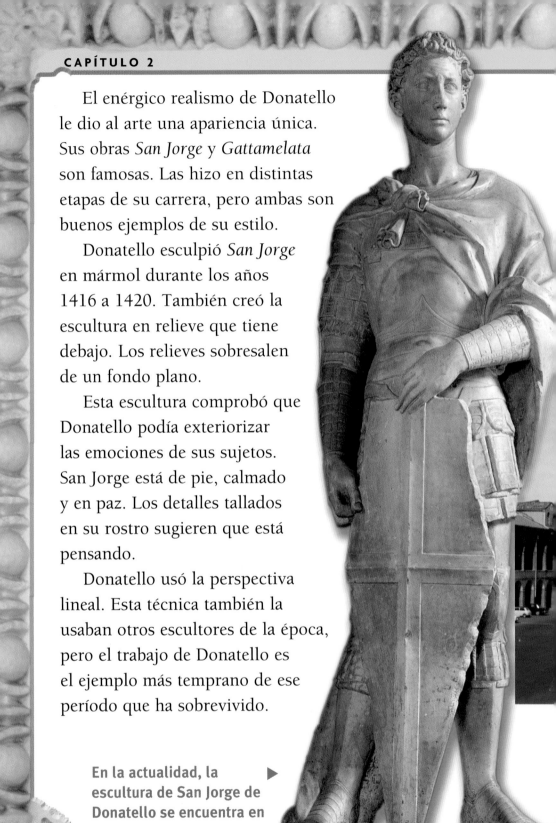

El enérgico realismo de Donatello le dio al arte una apariencia única. Sus obras *San Jorge* y *Gattamelata* son famosas. Las hizo en distintas etapas de su carrera, pero ambas son buenos ejemplos de su estilo.

Donatello esculpió *San Jorge* en mármol durante los años 1416 a 1420. También creó la escultura en relieve que tiene debajo. Los relieves sobresalen de un fondo plano.

Esta escultura comprobó que Donatello podía exteriorizar las emociones de sus sujetos. San Jorge está de pie, calmado y en paz. Los detalles tallados en su rostro sugieren que está pensando.

Donatello usó la perspectiva lineal. Esta técnica también la usaban otros escultores de la época, pero el trabajo de Donatello es el ejemplo más temprano de ese período que ha sobrevivido.

En la actualidad, la escultura de San Jorge de Donatello se encuentra en un museo de Florencia. ▶

Entre los años 1447 y 1453, Donatello creó una estatua de bronce del general italiano Gattamelata. En la escultura, el general está representado montando a caballo. La estatua **ecuestre** mide más de 11 pies (3.3 metros) de altura. *Gattamelata* es considerada una de las esculturas más simétricas que jamás se haya creado. *Simétrico* significa que existe un balance entre las partes. El balance puede estar en cada lado que divide una línea, o alrededor de un punto central.

Con el tiempo, el estilo de esculpir de Donatello se volvió más exacto. Otros escultores copiaron su estilo y sus técnicas.

▲ Hoy en día, la escultura *Gattamelata* de Donatello se encuentra Padua, Italia.

Vaciado

Los escultores a menudo vacían sus obras en metal u otras sustancias. Primero el artista hace un molde de la pieza. Luego, vierte el metal, cemento y hasta plástico derretido dentro del molde. Se deja que la sustancia se endurezca.

El escultor retira el molde. Esto resulta en una copia exacta del original. Ahora existen herramientas eléctricas. Los artistas usan lijadoras para darle forma a secciones pequeñas. Usan sopletes para cortar y darle forma a la pieza, y para pegar las partes.

Escultores del Renacimiento

Miguel Ángel

Miguel Ángel es uno de los mejores escultores de todos los tiempos. En su adolescencia, estudió escultura en Florencia. Acudió a la escuela famosa de escultura en los jardines de Medici. Luego, se fue a Roma a estudiar las ruinas antiguas.

Estando allí, Miguel Ángel talló una de las esculturas más conocidas del mundo. La *Pietà* muestra a María sujetando a su hijo, Jesús, sin vida. La mayoría de las esculturas de la época tenían elementos decorativos, pero las obras de Miguel Ángel eran más sencillas. Como resultado, sus figuras de gran tamaño parecen más enérgicas. Con La *Pietà*, Miguel Ángel dio comienzo a su carrera artística.

▲ Miguel Ángel creía que su papel como escultor era revelar la figura que escondía la piedra. Una de sus grandes obras, el *David*, está en la Galería de la Academia en Florencia, Italia. La figura de mármol mide más de 14 pies (4.3 metros) de altura.

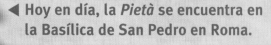

◀ Hoy en día, la *Pietà* se encuentra en la Basílica de San Pedro en Roma.

Benvenuto Cellini

Benvenuto Cellini era famoso en Florencia a comienzos del siglo XVI. Era escultor y grabadista. Trabajaba en metal, especialmente en oro y plata.

Cellini tenía varios mecenas poderosos, el papa inclusive. Los mandatarios del momento lo contrataban para hacer monedas. Colocaba retratos de los mecenas en las monedas. También hacía medallones de sus mecenas.

Uno de los temas favoritos de Cellini eran los dioses de la Roma antigua. Hizo esculturas de plata de gran tamaño de Júpiter, Vulcano y Marte. Una de sus obras más famosas tiene figuras de la mitología romana. Es una estatua de bronce de Perseo que sujeta la cabeza de Medusa.

▲ Cellini hizo esta escultura de oro, esmalte y marfil para el rey de Francia. Una figura representa la Tierra. El templo que está al lado de la Tierra era para guardar granos de pimienta. La otra figura representa el mar. El barco que está al lado del mar era para guardar la sal.

La ARQUITECTURA
del Renacimiento

La arquitectura también cambió durante el Renacimiento. En el siglo XV, los arquitectos italianos utilizaron elementos de la Grecia y Roma antiguas en sus diseños. Estos incluían **bóvedas**, domos, columnas y arcos. La arquitectura que contiene elementos griegos y romanos se conoce como arquitectura clásica.

▲ Los arquitectos del renacimiento se inspiraban con las ruinas de la Grecia y Roma antiguas. La Acrópolis, en Atenas, Grecia, es una ruina del período clásico.

Column 20 Modules or 10 Diameters

La arquitectura en Italia

La arquitectura fue muy importante para la Italia renacentista. Los arquitectos diseñaron muchas iglesias, capillas y demás edificios religiosos. Con el tiempo, los mecenas adinerados ejercieron una influencia en la arquitectura. Las familias poderosas financiaban el diseño y la construcción de edificios seculares. Algunos contrataban arquitectos para construir palacios. Otros los contrataban para hacer edificios públicos.

▼ El Coliseo romano es un tributo viviente a los arquitectos de la Roma antigua.

ELEMENTOS CLÁSICOS

bóveda

arco

domo

columna

Testigo presencial

"Los florentinos superan a otras naciones en todo lo que se proponen. Aparte del comercio, que es la verdadera base de su ciudad, tienen la reputación de ser grandes hombres de muchas destrezas; expertos también en la pintura, escultura y arquitectura, las cuales ejercen en casa y en el extranjero. Fueron ellos los que revivieron el estudio del griego y el latín. No dejo de sorprenderme cuando veo que en estos hombres . . . residen un espíritu tan grande y unos pensamientos tan elevados y nobles".
—Historiador florentino Benedetto Varchi (1503–1565)

Entablature 5 Mod

Column 20 Modules or 10 Diameters

Filippo Brunelleschi

Filippo Brunelleschi creó el estilo arquitectónico del Renacimiento. Al comienzo se dedicaba a la orfebrería. Luego se interesó por la arquitectura y las matemáticas. Brunelleschi fue a Roma con su amigo Donatello, donde estudiaron las ruinas de la Roma antigua.

Brunelleschi es el precursor de un nuevo estilo arquitectónico. Sus diseños contienen elementos de la arquitectura griega y romana antiguas. Diseñó las iglesias del Santo Espíritu y de San Lorenzo en Florencia. Ambas son ejemplos del estilo clásico.

Brunelleschi experimentó con pesas, ruedas, relojes y engranajes. Estos experimentos resultaron en inventos. Creó una especie de grúa, o un aparato para levantar peso, que le permitió terminar su obra más conocida: el Domo de la Catedral de Florencia.

▲ Los arcos y las columnas que diseñó Brunelleschi para San Lorenzo, son dos elementos clásicos.

PLANOS CENTRALES

CRUZ GRIEGA

PLANOS CENTRALES

POLÍGONO

◀ Muchas construcciones religiosas del Renacimiento tenían una estructura central. La de la cruz griega era popular. La del polígono también era popular.

Asuntos matemáticos

La tecnología que desarrolló Filippo Brunelleschi cambió la arquitectura. Inventó grúas. Las grúas tenían un sistema de contrapeso y ruedas, lo que permitía que se levantara material pesado de construcción. Gracias a este invento, un par de bueyes podía levantar la carga que antes levantaban seis bueyes.

Column 20 Modules or 10 Diameters

En 1418, los oficiales de la iglesia hicieron un concurso para el diseño del domo. Iba a ser como la coronación de la catedral. Alguien tenía que descubrir una manera de construirlo. Muchos creyeron que era imposible construir un domo tan grande y a una altura tan elevada. El domo reposaría en una parte de la catedral que era un octágono, lo que lo hacía aun más difícil.

El domo de Brunelleschi

Muchos artistas compitieron en el concurso para construir el domo. Se jugaban un premio en dinero y fama. Brunelleschi comenzó a hacer sus planos. Los Medici lo patrocinaron. El concurso causó una rivalidad entre Brunelleschi y el escultor Ghiberti.

El diseño de Brunelleschi fue elegido después de muchos debates. Sus planes eran algo nunca antes visto. Diseñó un caparazón doble que se sostenía a sí mismo. Una estructura en forma de costillas ayudaba a soportar el peso del domo. Sorprendentemente, el domo se construiría sin un marco. Era la primera vez que se hacía esto.

✔ REVÍSALO
LEE MÁS AL RESPECTO

Para aprender más sobre la arquitectura del pasado, visita la biblioteca y los sitios de Internet.

▲ Hoy en día, el domo de Brunelleschi todavía corona la Catedral de Florencia.

Brunelleschi escogió el ladrillo como su material de construcción. Lo diseñó con un patrón en espiral. Su diseño requirió de nuevos métodos de construcción, incluida la grúa.

En 1423, le encargaron el proyecto. El majestuoso domo estuvo listo en 1436.

El proyecto completo se terminó en 1461. El último paso era colocar un farol en la cima del domo. Lamentablemente, Brunelleschi no vivió para verlo terminado. El arquitecto murió en 1446.

Entablature 5 Mod

Column 20 Modules or 10 Diameters

PERSPECTIVA HISTÓRICA

Mira hacia arriba. ¿Hay algo especial en el techo? ¿Hay alguna obra de arte pintada en el techo? ¿Contiene elementos interesantes como los arcos? La respuesta a estas tres preguntas probablemente sea "no". Tu respuesta sería diferente si vivieras en el Renacimiento.

Los techos de los edificios del Renacimiento eran parte importante del diseño. Si vivieras en una villa renacentista, o una casa de campo grande, los techos probablemente lucirían como uno de los de las tres fotografías a continuación.

techo abovedado **techo artesonado** **techo con obras de arte**

Arquitectos del Renacimiento

León Battista Alberti

León Battista Alberti es un arquitecto famoso del Renacimiento italiano. Estudió matemáticas, filosofía, leyes y música, además de arquitectura.

Alberti trabajó con otros arquitectos en la construcción de edificios. Hay sólo unos pocos diseños suyos, entre los que destacan las iglesias de San Sebastiano y San Andrea.

Para diseñar San Andrea, Alberti usó muchos elementos de la Roma antigua. Se dice que San Andrea es similar al Panteón de Roma.

El Palacio Rucellai fue uno de ▶ los pocos edificios que diseñó León Battista Alberti. Era un edificio de tres pisos. Tiene los tres tipos de columnas clásicas: dóricas, jónicas y corintias.

Andreas Palladio

Andreas Palladio fue otro arquitecto del Renacimiento que copió el estilo de la Roma antigua. De hecho, Palladio siguió los escritos de Vitruvius, un arquitecto romano famoso.

Palladio es conocido principalmente por sus villas. Solía usar una fachada clásica. La fachada lucía como un templo, con todo y columnas.

EN SUS PROPIAS PALABRAS

"¿Desconocería algo? Brilla con facilidad y rapidez."
—El poeta Poliziano sobre León Battista Alberti

Entablature 5 Mod

Column 20 Modules or 10 Diameters

▲ La Rotonda, o "Villa Capra", diseñada por Andreas Palladio se encuentra en Vicenza, Italia.

CONCLUSIÓN

Las nuevas ideas y los descubrimientos del Renacimiento cambiaron el arte para siempre. El arte comenzó a incluir temas que no eran religiosos. Los artistas comenzaron a pintar paisajes. Dibujaban escenas de la vida cotidiana. También eran populares los retratos de las personas no religiosas.

Las técnicas de la pintura se transformaron durante el Renacimiento. Los grandes pintores, como Leonardo da Vinci, dominaron nuevas técnicas de perspectiva. Crearon obras tridimensionales. Los pintores y escultores mostraban la figura humana y las emociones de manera realista. Muchas técnicas y estilos renacentistas todavía se utilizan hoy en día.

Leonardo da Vinci termina l. Mona Lisa.

cerca de 1430

1504

Donatello termina su escultura del David. Es cosiderada como el primer ejemplo de escultura renacentista.

Miguel Ángel completa su estatua de mármol del David.

1506

▲ Monticello era la casa de Thomas Jefferson, el tercer presidente de Estados Unidos. El diseño muestra la influencia del arquitecto renacentista Andreas Palladio.

1508-1512

Miguel Ángel pinta los frescos del techo de la Capilla Sixtina.

Roma es invadida por las fuerzas de Carlos V, el emperador del Sacro Imperio Romano. Los artistas renacentistas abandonan la ciudad. Algunos consideran esto como el fin del Renacimiento.

1527

Los artistas aplican la perspectiva. Esto los ayuda a crear arte realista. Los detalles de anatomía que Leonardo da Vinci dibujó, todavía son admirados en la actualidad.

El arte del Renacimiento sigue siendo una fuente de inspiración para los artistas. En los museos, los estudiantes de arte se reúnen alrededor de las obras maestras del Renacimiento para estudiar el genio que hay detrás de estas obras hechas hace tantos siglos.

▼ **la Basílica de San Pedro**

GLOSARIO

arquitectura	el proceso creativo y la física para diseñar y construir estructuras (página 3)
bóveda	un techo en forma de arco, hecho de ladrillos, piedra, madera o yeso (página 20)
comisión	dinero que se le paga a una persona, como un artista, para que realice una obra de arte (página 6)
composición	la manera en que se presentan dos o más cosas (página 9)
ecuestre	relacionado con una figura a caballo (página 17)
fresco	una pintura que se crea con acuarelas sobre una capa de yeso que se coloca en una pared o el techo (página 10)
humanista	alguien que cree en el estudio del arte y la filosofía de la Roma y Grecia antiguas (página 3)
mecenas	persona que financia la creación de arte o literatura (página 4)
modelar	darle forma a una escultura con las manos (página 13)
perspectiva	una de las leyes de la naturaleza que establece que el tamaño de un objeto disminuye a medida que aumenta la distancia entre el objeto y el ojo que lo observa (página 5)
realismo	la representación artística del mundo natural sin idealización ni distorción (página 10)
schiacciato	una técnica de esculpir mediante la cual una obra hecha en una superficie plana pareciera tener profundidad (página 14)
vaciar	el proceso de verter una sustancia derretida en un molde para crear una escultura (página 14)

ÍNDICE